JN094887

ぼくは
アーティスト

ドロ・グローバス と ローズ・ブレイク

さとうりさ ゃく

HeHe

ドロシアのために

アーティストって なに?
どんなふうに 仕事をするの?
どうして ものを つくるの?
ぼくも アーティストに なれる?

こたえを 探してみよう!

アーティストとは ものをつくる力があって、つくったものを
みんなに 見せてくれる人です。いろんな材料と 道具をつかって
仕事をしています。アーティストは みんなちがいます。
スタジオとよばれる このたてものは、部屋を ちらかしながら
自分のアートを つくっている人たちで いっぱいです。

今日は だれか いるのかな。
キット、きみの質問に こたえてくれる人に 会えるかも しれないよ!

わたしは 人が大好きな アーティスト。人の顔を じっと見つめながら
描いていると、心のなかも だんだん見えてきます。
気分は 悪くないかな、つかれていないかな、と
心配になることも あるけど 気にしないように しています。
肖像画を 描くことは その人の物語を よむことに 似ています。

絵筆

イーゼル

エプロン

絵の具のチューブ
え ぐ

ベンチ

わたしは 肖像画家。
しょうぞう が か

わたしたちは 絵の描きかたを 研究している アーティスト。
よく知っている バナナや 花でも、その美しさを 描くためには
じっくり 観察することが 大切です。

人は ひとりひとり ちがう ものの見かたを しています。
これは みんなで 同じものを見て描いた、静物画とよばれる 絵です。
わたしたちの絵は どうしてこんなにちがうのだろう、と
おどろかされます。

パイナップル

花

背景

マグカップ

ろうそく

わたしたちは イラストレーター。

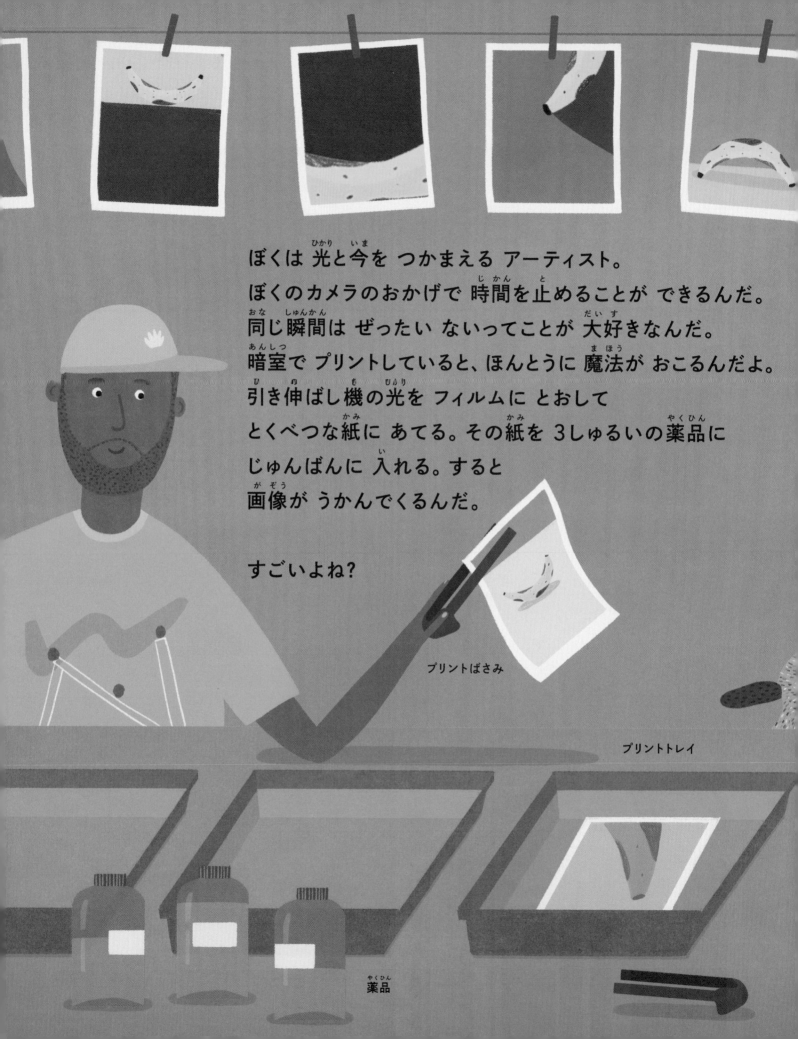

ぼくは 光と今を つかまえる アーティスト。
ぼくのカメラのおかげで 時間を止めることが できるんだ。
同じ瞬間は ぜったい ないってことが 大好きなんだ。
暗室で プリントしていると、ほんとうに 魔法が おこるんだよ。
引き伸ばし機の光を フィルムに とおして
とくべつな紙に あてる。その紙を 3しゅるいの薬品に
じゅんばんに 入れる。すると
画像が うかんでくるんだ。

すごいよね?

プリントばさみ

プリントトレイ

薬品

暗室

乾燥ひも

セーフライト

フィルム

引き伸ばし機

タイマー

ぼくは 写真家。

わたしは 色が大好きな アーティスト。でも 好きな色は 決めていないの！
色は みんながそれぞれ、ちがう感じかたを しているから おもしろいね。
金属で 彫刻をつくるのは 大きくて重くて たいへんだけど

彫刻

すばらしい 人たちと チームになって
助けてもらっているわ。
色とりどりの かたちが 部屋に しあわせをはこんで
見ている人たちに よろこんでもらえたら うれしい。

わたしは 彫刻家。

わたしは うごく画像が 大好きな アーティスト。
空想の世界を つくることが 好きです。小さな ひらめきから はじめて
だんだん大きく ワクワクする世界を つくっていきます。

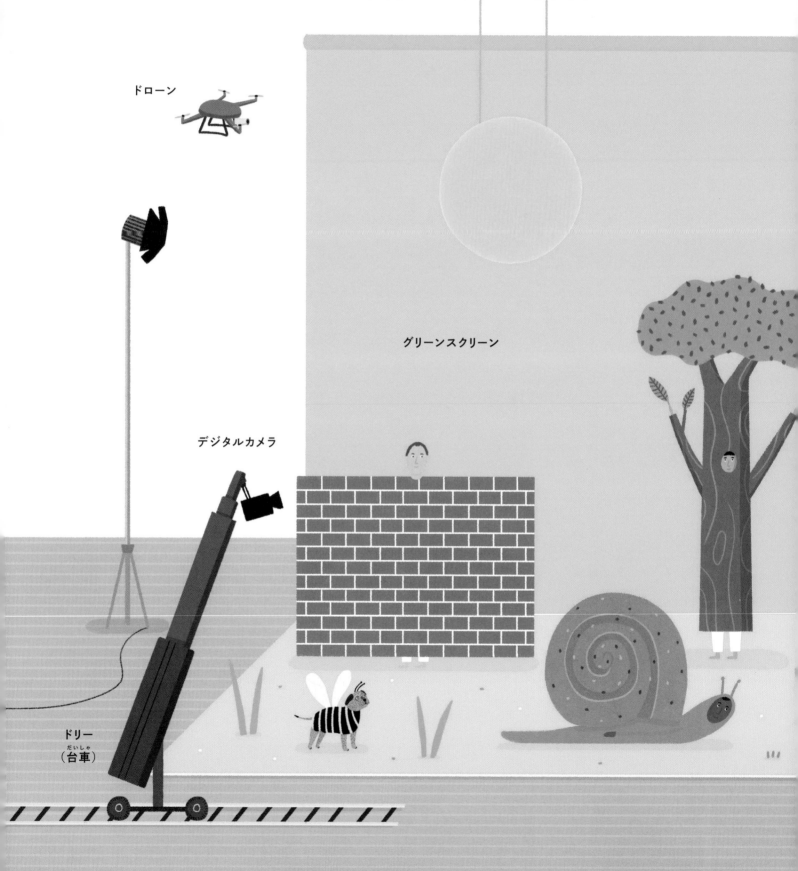

ドローン

グリーンスクリーン

デジタルカメラ

ドリー
（台車）

そのために、おはなしを書いて 衣装をつくって
役者さんをきめて セットをつくって ぜんぶのシーンを 撮影します。
さいごに 編集をして、やっと ひとつの世界が できあがります。

スポットライト

アクションカメラ

わたしは ビデオアーティスト。

わたしは 思っていることを はっきり言う アーティスト。
子どものころ 自分の気持ちを 絵や文字にして
部屋のドアに 貼っていたわ。それが すべてのはじまり!
自然を 大切にしたい、世界じゅうの人に 仲良くなってほしい。
もっと良くしたいことに アートが力を かしてくれるの。

ピースサイン

地球儀

ノート

ラップトップ

プラカード

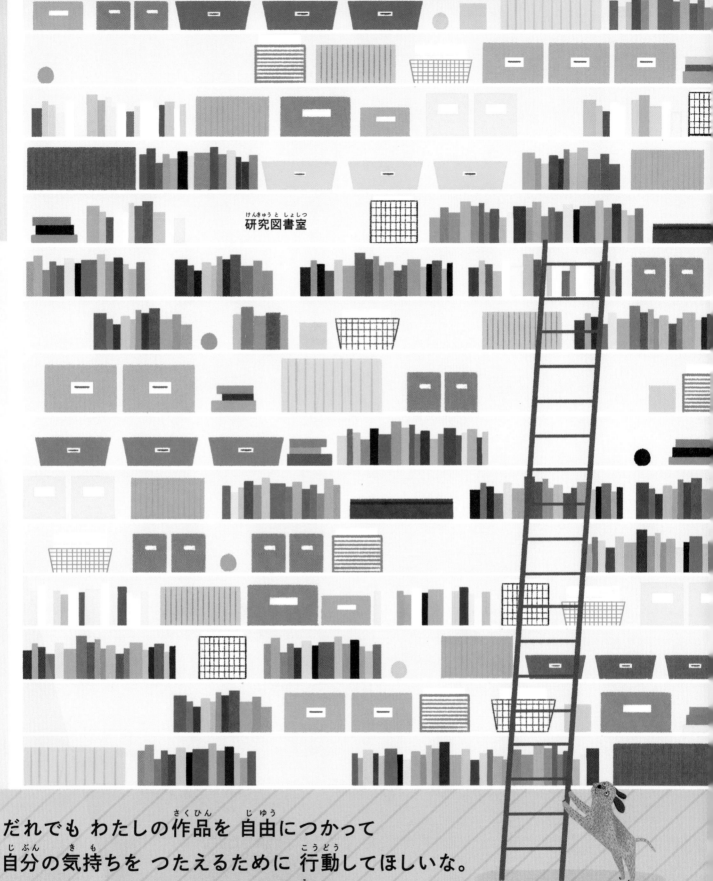

研究図書室

だれでも わたしの作品を 自由につかって
自分の気持ちを つたえるために 行動してほしいな。
みんなが つくった メッセージも 見てみたい！

わたしは 活動家アーティスト。

スクリュードライバー　　　　　　　　　スコヤ（直角定規）

はしご

救急箱

ノミ

クランプ（締め金）

わたしは 算数が 大きらいだったのに
今では なにをするにも算数を つかっている アーティストです。
木材は きちんと 大きさを測り、もようや うず巻き
穴があるところを かくにんすることが 大切。

見なれたものと めずらしいものを
組み合わせることが 大好き。森に生えていた木が
あたらしく 生まれ変わるの。でも とがった道具には
気をつけなくちゃ！

おがくず

わたしは 木工職人。

丸のこテーブル

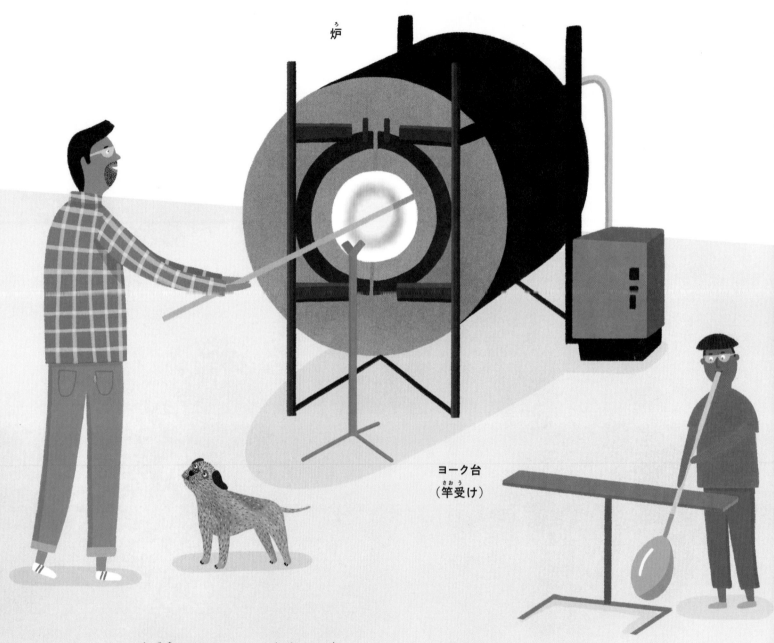

炉^ろ

ヨーク台
（竿受け）^{さおう}

わたしは 予想^{よそう}できない 変化^{へんか}が 好^すきな アーティスト。

空気^{くうき}を 吹^ふきこんだ あつい 液体^{えきたい}が

冷^さめて かたいガラスに 変^かわるまで 待^まつんだ。

その 時間^{じかん}が わたしに 感動^{かんどう}を くれるんだよ！

ガラスは どんな かたちになって、どんなふうに かがやくか わからない。

部屋^{へや}はあついし 仕事^{しごと}はあぶないし ヘンな においもする。

簡単^{かんたん}に できることでは ないよ。

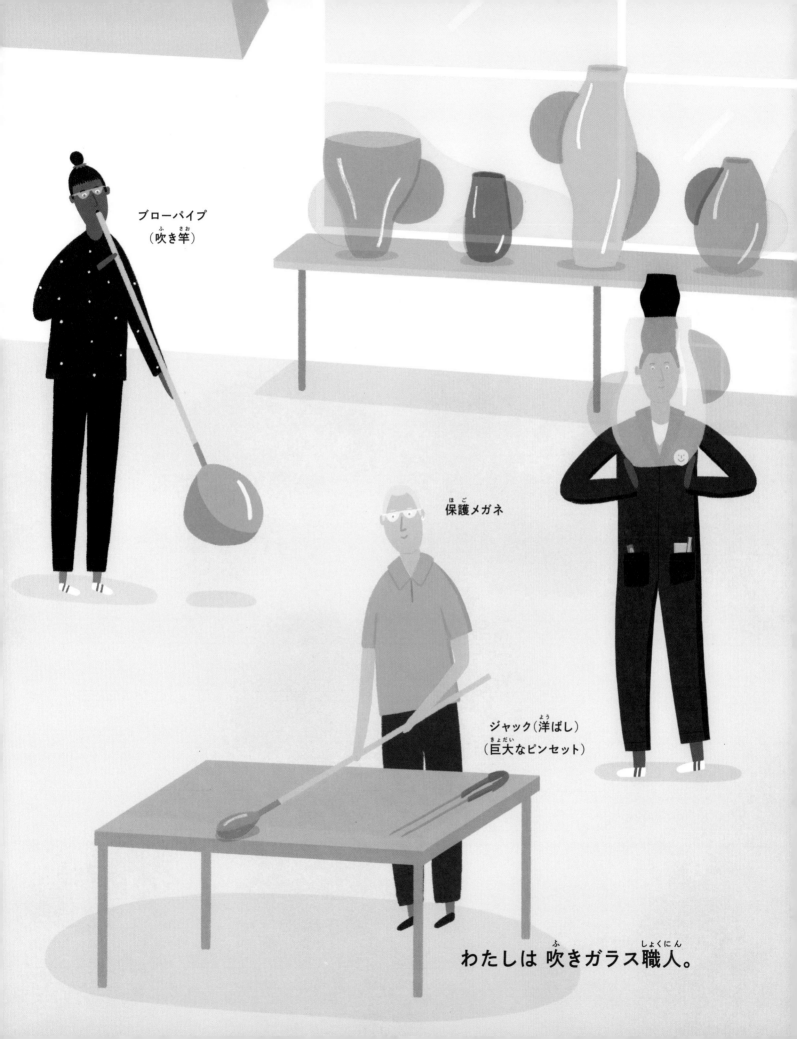

ブローパイプ
（吹き竿）

保護メガネ

ジャック（洋ばし）
（巨大なピンセット）

わたしは 吹きガラス職人。

わたしは むかしからある 習慣と
人のつながりを 大切にする アーティスト。

糸

針

大好きな人や 友だち、ご近所の人にもらった
古い服や布を ぬい合わせて、ひとびとの物語を
つたえています。キルトの ぬいかたは
おかあさんが 教えてくれたわ。
針と糸を つかっていると、わたしの想像は
どんどんひろがって おだやかな 気持ちになります。

布

わたしは テキスタイルアーティスト。

わたしたちは やわらかく湿って、ぐにゃぐにゃした ねん土を
かたく しっかりとした かたちに変える アーティストです。
ねん土の かたちは 手だけで つくったり、ろくろを まわして つくります。
それを 窯（ねん土を かたくする とても あついオーブン）で 焼き
色や かざりをつけて もういちど 焼きます。
窯から とり出すときは いつも おどろきで いっぱいです！

ゆう薬

ねん土

ろくろ

乾燥棚
（かんそうだな）

水用バケツ
（みずよう）

ゆう薬台
（やくだい）

窯
（かま）

わたしたちは 陶芸家。
（とうげいか）

ぼくは 自然に夢中な アーティスト。
この世界で ぼくたちが まだ気づいていないことって
どれくらい あるんだろうね?
自然は ぼくが ひつようだと 感じたものを
なんでも 与えてくれるんだ。

木(き)

草(くさ)

岩(いわ)

枝

葉

海のなかで なめらかになった 岩や
木の枝に ぶらさがった つららの かたちは
とても美しいよ。自然がくれた ひらめきから
つくり はじめるんだ。

ぼくは 環境アーティスト。

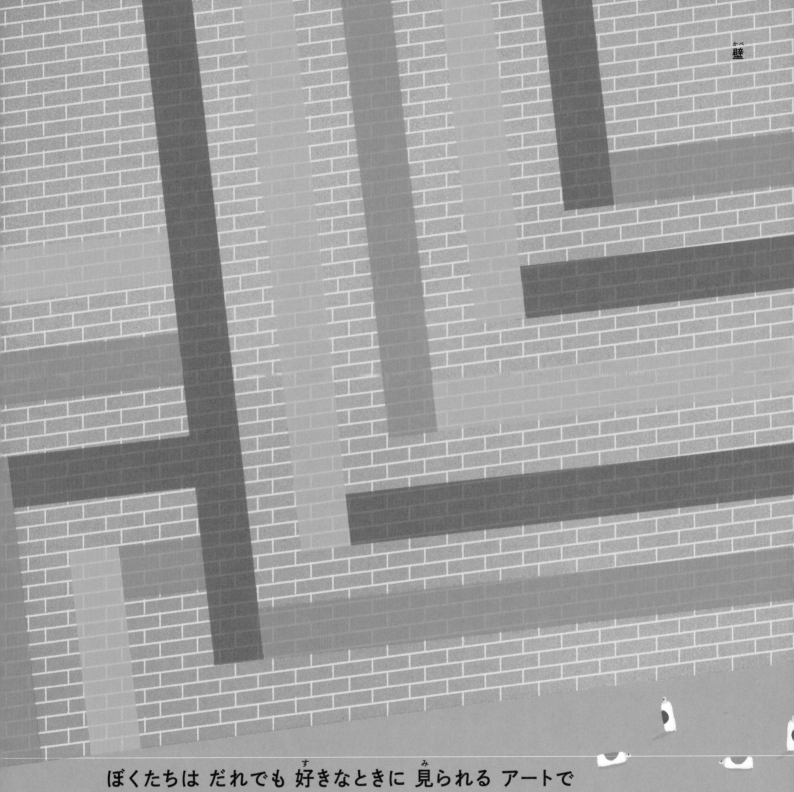

壁_{かべ}

ぼくたちは だれでも 好_すきなときに 見_みられる アートで
街_{まち}じゅうを 美_{うつく}しくしたいんだ。
スプレーとステンシルを バックパックに入_いれて
だれも 注目_{ちゅうもく}していない 場所_{ばしょ}へ アートをつくりに 行_いくんだ。
すると トンネルや かいだん、なにもない 壁_{かべ}が
美術館_{びじゅつかん}になるんだよ。

マスク

けいたいよう
携帯用はしご

スプレー

ステレオ

バックパック

ぼくらは ストリートアーティスト
またの名を グラフィティアーティスト。

ことばと 考え<ruby>考<rt>かんが</rt></ruby>えを あつかう アーティスト。
わたしは <ruby>文筆家<rt>ぶんぴつか</rt></ruby>。

<ruby>世界<rt>せかい</rt></ruby>じゅうを <ruby>見<rt>み</rt></ruby>つめている アーティスト。
わたしは <ruby>風景画家<rt>ふうけいがか</rt></ruby>。

<ruby>小<rt>ちい</rt></ruby>さなかけらで
<ruby>大<rt>おお</rt></ruby>きな<ruby>絵<rt>え</rt></ruby>をつくる アーティスト。

わたしは モザイクアーティスト。

身の回りのものが 気になってしまう アーティスト。
わたしは ポップアーティスト。

自由に絵を描く アーティスト。
わたしは 抽象画家。

せりふと 衣装と からだをつかう アーティスト。
わたしは パフォーマンスアーティスト。

さわれないもので
彫刻をつくる アーティスト。
わたしは 光のアーティスト。

自分が つくったものを 身につける アーティスト。
わたしは ジュエリーアーティスト。

なんでも アートになるって ほんとうなんだね?
アートは 絵やガラス、木や布、ことばや岩から 生まれるんだね。
考えていることや 心で感じたことだけでも できるんだね。

そのとおり。
きみが つたえたいことを つくる
きみが 楽しいから つくる
ってことね。

ひとつの考えや ひとつの材料から
どんな作品が 生まれるのかを 見ることも
アーティストにとっての 楽しみだね。
ぼくは いろいろな つくりかたを まぜるのが好き。
アートを つくるのって 最高!

わたしも！
いろいろな やりかたや 材料を
ためすことができて とてもよかった。
アーティストたちに 教わったことを
やってみるのが 楽しみ。
ひらめきは どこからでも
やってくるんだね。

今日は アーティストたちに会えて
すごく楽しかった。みんな ありがとう！

どんどん
ちらかしてね!

さあ
集めてみよう!

チュンチュン

ことばは
大きな力!

ワン

ぼくたちは みんな アーティストになれる。
きみは アーティスト、ぼくも アーティスト!

ぼくはアーティスト

発行日：2024年3月31日　第1刷

著者：ドロ・グローバス、ローズ・ブレイク
デザイン：A Practice for Everyday Life, London
プロジェクト担当：ジェシカ・パリンスキー・フース
プロジェクト・マネージャー：フェリシティ・アウドリー
製版：Altaimage

翻訳：さとうりさ
校閲：柿沼ボニー
日本語版デザイン：松岡里美（gocoro）

発行者：中村水絵
発行所：HeHe / ヒヒ
〒154-0024東京都世田谷区三軒茶屋2-48-3三軒茶屋スカイハイツ708
Tel：03-6824-6566
info@hehepress.com
www.hehepress.com

印刷・製本所：LEGO, SrL

乱丁・落丁本は送料小社負担にてお取り替えいたします。
本書の無断複写・複製・引用及び構成順序を損ねる無断使用を禁じます。

Printed in Italy
ISBN978-4-908062-56-8 C0070

本書は2024年にデイヴィッド・ズウィルナー・ブックスより刊行された日本語版です。

I Am an Artist
by Doro Globus and Rose Blake

Design: A Practice for Everyday Life, London
Project editor: Jessica Palinski Hoos
Production manager: Felicity Awdry
Color separations: Altaimage
Printing: LEGO, SrL

Translation by Risa Sato
Proofreading by Bonnie Kakinuma
Japanese version design by Satomi Matsuoka (gocoro)

First published in Japan, March 2024

Published by Mizue Nakamura
HeHe
2-48-3 #708 Sangenjaya, Setagaya-ku, Tokyo 154-0024 Japan
Tel: +81(0)3-6824-6566
info@hehepress.com
www.hehepress.com

Printed and bound in Italy by LEGO, SrL

ISBN978-4-908062-56-8 C0070

This is Japanese version of the book first published in English in 2024 by David Zwirner Books

ローズと私は、この本をとおして
“アーティストとは何か、人はなぜアーティストになりたいのか”を
探究しようと話し合ってきました。
まずはじめに、作品を世の中に送り出し、声を分かち合ってくれる、
すべてのアーティストに感謝します。

アートを作ることが大好きなドロシアと、
いつも応援してくれるトリスタン。
この本の草稿を読んでくれた、すべての子どもたち、
私たちを励ましてくれた家族に感謝します。

そして、この本の制作チームのみなさんに感謝します。
また、HeHeの中村水絵さんの協力で、
この本を日本の読者へ届けられたことに感謝します。

そしてなにより、ローズ・ブレイクの友情と才能と声に感謝します。

ドロ・グローバス